清賞叢書

琴史

〔宋〕朱長文 著

廣陵書社

卷四

謝安石

謝安，字安石，江東名宰相也。棲遲丘壑則情寄雲霄，高步廊廟則功濟海内，惜其材不遇時，壽不伸志，卒未能混一區宇也。使其得君而克壽，雖伊、傅、蕭、葛，何以加諸？安性好音樂，常隱遁山林，游賞必以妓女。及晚登台輔，雖朞喪猶用絲竹。家有名琴，後爲齊竟陵王所寶，以此知太傅之工琴也。或曰嘗作《升平調》云。又傳戴公從東出，太傅往見之。太傅輕戴，但與論琴書，戴無吝色，論琴盡妙。兄尚亦善音樂，博總衆藝，及爲鎮西將軍鎮壽陽，於是採拾樂工，并製石磬，以備太樂，江表有鐘石之樂，自尚始也。

劉琨

劉琨，字越石，中山魏昌人。當永嘉之亂，爲晋守并，間却群胡，而終殞于難，位至司空。琨少而俊偉，洞曉音律，其在晋陽，嘗爲胡騎所圍數重，城中窘迫無計。琨乃乘月登樓長嘯，賊聞之，皆悽然長嘆。中夜奏胡笳，賊又流涕歔欷，有懷土之意。向曉復吹之，賊並棄圍走。琴家又稱琨作《胡笳五弄》，所謂《登隴》《望秦》《竹吟風》《哀松露》《悲漢月》。傳至趙耶利，復修之，奇聲妙響，在於此矣。

袁準

袁準，字孝尼，陳郡人。少好琴，未嘗一日徹去。嘗學《廣陵散》於嵇叔夜，叔夜靳而不傳，臨終悔之。官至給事中。

或傳孝尼乃叔夜之甥，嘗竊傳其曲，謂之《止息》。然據叔夜《琴賦》，已有《廣陵止息》。豈自古已立此名，而叔夜、孝尼復潤色之耶？

王子猷

王徽之，字子猷，逸少之子，放達不羈，爲桓冲騎兵參軍。其弟獻之卒，徽之奔喪不哭，直上靈牀坐，取獻之琴彈之，久而不調。嘆曰：『嗚呼，子敬，人琴俱亡。』因頓絕，月餘亦卒。

王、謝諸俊皆好聲樂，太傅作相，雖朞喪不廢樂。逸少嘗云：『年在桑榆，正賴絲竹陶寫。』其於琴也，孰謂不能，但史氏不暇盡言之耳。

三 戴

戴逵，字安道，隱遁當世，以琴書自娱。武陵王晞聞其善鼓琴，使人召之，逵對使者破琴曰：『戴安道不爲王門伶人。』晞怒，乃更引其兄述，述聞命欣然，擁琴而往。逵後徙居會稽之剡縣，雖迹放巖谷，而常以禮法爲事。孝武帝時，以散騎常侍累召不起，乃逃于吳。吳國内史王珣有别館在虎丘，逵潛詣之，與珣遊處積旬，後復還剡，終不詘以卒。

長子勃，有父風，以散騎侍郎召，不至。次子顒，字仲若，少以孝聞，亦不仕，隱居于剡，凡諸音律，皆能措手。勃與顒並受琴於父，父没，所傳之曲不忍復奏，遂各造新弄。勃爲五部，顒製十五部，又長弄一部，並傳於世。

桐廬多名山，兄弟並往遊，因留居焉。勃疾病，醫餌不給，顒謂勃曰：『顒隨兄閑逸，非有心於語默，今兄方病，顒當干禄，以謀救療耳。』乃求爲海虞令。勃卒遂已，顒亦羸患，乃就吳下養疾。吳下士人共爲築室，有泉石林澗，以象隱所，蓋恐其去也。衡陽王義季鎮京口，迎至於黄鵠山，憩竹林精舍。義季亟從之遊，顒野服不變，爲之鼓琴，並新聲變曲，其三調《遊弦》、《廣陵止息》之流，皆與世異。太祖每欲見之，嘗曰：『吾東巡，必宴戴公山也。』以其好音，長給《正聲伎》一部。年六十四卒。

當彼之時，天下方苦於干戈，此三君子者，不悶懷紱冕，世其素履，獨以琴絲爲事，百世之下，可以革貪競，而長冲泊如其清。晉宋之間，搢紳猶多解音律，蓋承漢魏嵇、蔡之餘，風流未遠，故能度曲變聲，可施後世。自唐以來，學琴者徒仿其節奏，寫其按抑，而未見有如三戴者，況嵇、蔡乎？嗚呼！安得知音之士，與之共論至樂哉！

陶淵明

陶潛，字淵明，潯陽柴桑人。懷忠履潔，忘懷於得喪之境，古之伯夷、原憲、榮啓朝之徒歟！性不解音，常畜素琴一張，每有酒適，常撫弄以寄其意。每曰：『但得琴中趣，何勞弦上聲。』蓋得琴之意，則不假鳴弦而自適矣。嘗有詩云：『弱齡寄事外，委懷在琴書。』又云：『樂琴書以消憂。』非虛言也。卒謚靖節先生。

王微 及其侄僧祐

王微，字景玄，晋相導之曾孫。少好學，工書，解音律，而不屑仕宦。尤善琴，并著《譜序》，今此書亡矣。爲右軍諮議參軍。

侄僧祐，字嗣宗，雅爲從兄儉所重，時善莊老，亭然獨立，不交當世。齊高帝謂王儉曰：『卿從弟可謂朝隱。』答曰：『臣從弟非敢妄同高人，直是愛閑多病耳。』竟陵王子良聞其工琴，於坐取進之，不從命。卒於黃門郎。

王僧虔

王僧虔，以文情學解見重江表，太祖嘗曲宴群臣，使各效伎藝，王儉誦《封禪書》，褚淵彈琵琶，沈文季歌，張恭兒舞，獨僧虔彈琴。《封禪書》近於諂，不若琴之愈也。僧虔知音律，以朝廷禮樂多違正典，民間競造新聲雜曲，上表論之，敕付外鳌革。尤善隸書，位侍中、左光禄大夫薨。

宗少文

宗炳，字少文，南陽人。隱遁荆土，不應辟請，妙琴書，精於言理，每遊山水，往輒忘歸。宋興，以太子舍人、庶子召之，不起。嘗西涉荆巫，南登衡嶽，有疾，乃還江陵。嘆曰：『老疾俱至，名山恐難遍睹，唯當澄懷觀道，卧以遊之。』凡所遊履，皆圖之於室。謂人曰：『撫琴動操，欲令衆山皆響。』

古有《金石弄》，爲諸桓所重，桓氏亡，其聲遂絶，唯炳傳焉，太祖遣樂師楊觀就炳受之。元嘉中卒。

蕭思話

蕭思話，南蘭陵人，少以博誕遊遨爲事，既而折節好學，工於琴書，累歷方鎮，除侍中、大衛將軍。嘗從太祖登鍾山北嶺，中道有盤石清泉，上使於石上彈琴，因賜銀鍾酒而謂曰：『想嘗有松石間之高意也。』以鎮西、郢州刺史卒。思話外戚勛臣，而雅音不廢，亦可嘉也已。

二柳

柳世隆，字彥緒，河東解人。事南齊，以平沈攸之勛至平南將軍，遷尚書令。少立功名，晚專以談義自業。善彈琴，稱柳公雙璅，爲士品第一。自云馬矟第一，清談第二，彈琴第三。在朝不嬰世務，垂簾鼓琴，風韻清遠，甚獲世譽。卒年五十。

子惔，亦曉音律。惔弟惲，字文暢，嘗爲詩云：『亭皋木葉下，隴首秋雲飛。』又云：『太液滄波起，長楊高樹秋。翠華承漢遠，雕輦逐風遊。』詩人到于今稱之。爲吴興太守卒。

初，宋世有嵇元榮、羊蓋，並善彈琴，云傳戴安道之法，惲幼從學，特窮其妙。齊竟陵王嘗置酒後園，有晋相謝安素琴在側，

授惲爲雅弄。子良曰：『卿巧越嵇心，妙臻羊體，良質美手，信在今辰，豈止當世稱奇，足可追蹤古烈矣。』惲雅善音律，尤篤好於琴，嘗以爲今聲轉棄古法，乃著《清調論》，并上樂議，具有條緒。蓋不惟能於琴指，亦深知其意義也。每奏其父曲，常感思，因復變體，備寫古今。嘗賦詩未就，以筆捶琴，坐客以筯和之，惲驚其哀韻，乃製爲雅音，後傳擊琴始自於此。尤善弈棋，梁武謂其才藝足了十人也。

褚彥回

褚彥回，宋丹陽尹湛之之子，少有履操，美儀貌，善容止，俯仰進退可觀，時人方之何平叔。嘗聚袁粲舍，初秋涼夕，風月甚美，彥回援琴奏《別鵠》之曲，宮商既調，風神諧暢。謝莊在坐，擊節而嘆曰：『以無累之神，合有道之器，宮商暫離，不可得已。』然與袁粲並受宋明帝託孤之任，而佐齊高帝害袁粲，義士非之。

文中子

文中子，名通，字仲淹。既冠，慨然有濟蒼生之心，西遊長安，見隋文帝，奏太平十有二策，不能用也。楊素、蘇夔、李德林皆請見，子與之言，歸而有憂色。門人問子，子曰：『二三子皆朝之與議者也。素與吾言終日，言政而不及化，是天下無禮也。夔與吾言終日，言聲而不及雅，是天下無樂也。德林與吾言終日，言文而不及理，是天下無文也。王道從何而興乎？吾所以憂也！』門人退，子援琴鼓《蕩》之什，門人皆霑襟焉。

子游汾亭，坐鼓琴，有舟而釣者過，曰：『美哉！琴意傷而和，怨而靜，在山澤而有廊廟之志，非太公之都磻谿，則仲尼之宅泗濱也。』子驟而鼓《南風》，釣者曰：『嘻！非今日事也，道能利生民，功足濟天下，其有虞氏之心乎！不如舜自鼓也，聲存而操變矣。』子遂捨琴，謂門人曰：『情之變聲也如是乎？』起，將延之，釣者摇竿鼓栧而逝，門人追之，子曰：『無追也。播鼗武入于河，擊磬襄入于海，固有之也。』遂志其事，作《汾亭操》，蓋孔子《龜山》之比也。

楊素使謂子曰：『盍仕乎？』子曰：『疏屬之南，汾水之曲，有先人之敝廬，可以避風雨，可以具饘粥。彈琴著書，講道勸義，自樂也，願君侯正身以統天下，時和歲豐，則通也受賜多矣。』大業十一年，寢疾而終。

蓋文中子生極亂之餘，而能以禮樂自任。將學而知之邪？抑默而識之邪？傳曰：正樂於北平霍汲，汲亦不見於當時也。如汾亭釣者，豈不謂知音哉！世未嘗無人，而人罕知之耳。

東皋子

東皋子王績，字無功，文中子之弟，棄官不仕，耕於東皋，故以自號。有奴婢數人種黍，《春秋》爲酒，養鳧雁、蒔藥草自供，以《周易》《老子》《莊子》置牀頭，他書罕讀也。著《醉鄉記》以次劉伶《酒德頌》，飲至五斗不亂，自謂『五斗先生』。其放誕如此。善琴，加減舊弄，作《山水操》，爲知音者所賞。

趙耶利

趙耶利，曹州濟陰人，慕道自隱，能琴無雙，當世賢達莫不高之，謂之『趙師』。所正錯謬五十餘弄，削俗歸雅，傳之譜録。每云：『吴聲清婉，若長江廣流，綿延徐逝，有國士之風；蜀聲躁急，若激浪奔雷，亦一時之俊。』又言：『肉甲相和，取聲温潤，純甲其音傷慘，純肉其聲傷鈍。』嘗以琴誨邑宰之子，遂作譜兩卷以遺之，今傳焉。其序者稱耶利云：『弱年穎悟，藝業多通，束髮自修，行無二遇，清虚自處，非道不行，筆妙窮乎鍾、張，琴道方乎馬、蔡。』貞觀十三年卒於曹，年七十六。當文皇興樂之時，而耶利不見收擢，蓋不求聞達故也。或云：蔡邕撰《遊春》《渌水》《幽居》《坐愁》《秋思》，以傳太史令單颺，自颺十七傳而至耶利，耶利傳濮人馬氏，又傳宋孝臻，孝臻亡，師資遂絶。

司馬子微

司馬承禎，字子微，少事潘師正，傳辟穀法、導引術，無不通。師正異之，曰：『我得陶隱居正一法，逮汝四世矣。』因辭去，遍遊名山，廬天台不出。余嘗得《素琴傳》，云子微所作。然辭或舛誤，頗爲刊定。……

子微肥遁自養，睿宗命其兄承禕就起之。既至，引入中掖，庭問其術，對曰：『爲道日怡，損之又損，以至于無爲，況可攻異端而增智慮哉？』帝嘉之，賜以寶琴『霞紋帔』。唐人高子微之風者衆矣，其操履藝業，蓋可師云。

盧藏用

盧藏用，字子潛，幽州范陽人，隱終南、少室二山，學煉丹，爲辟穀術。登衡、盧，彷徉岷、峨。與陳子昂、趙正固友善。善著龜、九宮術，工草隸分篆，於琴、弈尤用思精遠，人貴其多能。然自隱山中，有意當世，人目爲隨駕處士。晚徇權利，雖歷仕黄門侍郎，而素節墮矣。司馬子微以終南爲仕宦捷徑斥之也。以黔州長史卒。

元紫芝

元德秀，字紫芝，河南人，有唐卓行之士也。罷魯山令，退居陸渾，不爲墻垣扃牖，家無僕妾。時屬歉歲，涉旬無煙，彈琴著書，不改其樂。人以酒殽從之，不問賢鄙爲酣飫，陶陶然脱遺身世，涵咏道德。天寶十三載卒，堂内惟有琴書、簞瓢、巾褐、杖履而已。門人相與謚曰『卓行先生』。

李勉 張鎬附

……勉有所自製，天下以爲寶。樂家傳『響泉』『韻磬』，皆勉所愛者也。或云其造琴，新舊桐材，叩之合律者，裁而膠綴之，號百納琴。其『響泉』『韻磬』，弦一上十年不斷，其製器可謂臻妙，非深達於琴者，孰能與於此乎？嵇、戴以來，一人而已矣。

後張茂樞得此二琴，廣明之亂，韻磬見焚，響泉爲一僧挈去。茂樞云：勉本贈高門魏公，琴内有公墨題，背有陽冰篆，乃韋皋帥蜀時，用佉陀羅木換臨嶽、承弦，令陽冰文之，曰『南溟夷島，木有堅如石、文横銀屑者，名曰佉陀羅，余愛其堅，貴其異，遂用作臨嶽』云。茂樞後游江陵，於從兄濬處復見之，茂樞爲記其本末。又曰：『但以他琴齊觸，彼音絶而此有餘韻。』

韓滉 及其子皋

韓滉，字太冲，開元宰相休之子也。幼有美名，所與游皆天下豪俊，好鼓琴，學張長史書，得其筆法，畫與宗人幹相埒。嘗言不能定筆，不可論書畫。以非急務，故自晦其迹，人罕知也。晚以鎮海節度觀察二湖，彊肆苛慘，雖有功，不能掩其過云。

子皋，字仲聞，亦有大臣器，位至左僕射，生知音律，常曰：『長年後不願聽樂，以門内事多逆知之。』聞鼓琴至《止息》，嘆曰：『美哉，嵇康之爲是曲，其當晉魏之際乎，其音主商，商爲秋，秋者天將摇落肅殺，其歲之晏乎！晉承金運，商又金聲，此所以知魏方季而晉將代也。緩其商弦，與宫同音，臣奪君之義，

李泌（[illegible]年）

[illegible]泌有所興，天下以爲言。[illegible]

泌所愛者也。[illegible]

[illegible]

孩[illegible]之風，[illegible]

其木本。又曰：[illegible]

韓滉（[illegible]年）

韓滉，字太沖，開元宰相休之子也，幼有美名，所與游皆天

下名士。好鼓琴，[illegible]書，得其筆法，畫與宗人韓幹相埒。嘗

言不能在筆，本可論書畫。以非急務，故自晦其道，人不知也。

晚以鎮浙西，[illegible]，雖有功，不能掩其過云。

[illegible]字中[illegible]，亦有大臣器，[illegible]生知音律，常曰：

「[illegible]年後不[illegible]聽矣，以[illegible]內事多違之。」聞鼓鞞至《止息》，嘆

曰：「夫鼓，[illegible]其音主商，商爲

秋，秦吞六國[illegible]，其[illegible]之要乎！[illegible]此

所以知鐘方宰而晉亡也。鐘其商也，與宮同音，臣奪君之義，

知司馬氏之將篡也。王陵、毋丘儉、文欽、諸葛誕繼爲揚州都督，咸謀興復，皆爲司馬懿父子所殺。康爲揚州故廣陵地，陵等皆魏大臣，故名其曲曰《廣陵散》，言魏散亡自廣陵始。「止息」者，晋雖暴興，終止息於此。其哀憤、躁蹙、憯痛、迫脅之音，盡於是矣。永嘉之亂，其兆此乎！康避晋魏之禍，託以鬼神，以俟後世知音耳。』

蓋《廣陵》之作，叔夜寓深意於其間，故其將死，猶恨不傳。後之人雖粗得其音，而不知其意。更歷千載而後得韓皋，可以無憾矣。然叔夜知魏晋之禍，而不知身之禍，命矣夫！或云，叔夜傳《廣陵》於杜夔之子，蓋與論樂耳，非授此曲也。

獨孤憲公

獨孤及，字至之，洛陽人，以文章名於肅、代之世。辭體近雅，一時英俊皆師焉。其後有權丞相德輿，後有韓吏部愈，文遂復古，其原由至之發之也。亦好鼓琴，嘗抱琴登馬，退山有詩曰：『微風度竹來，韻我鍾期弦。曲終予亦酣，起舞山水前。』頗有曠達之度。晚節尤嗜於此，有目疾不肯治，欲聽之專也。審於音聲而忘其疾痛，可謂篤好之者已。以常州刺史卒，謚曰憲公。

白樂天

白居易，字樂天，太原人，以文章德範稱於憲、穆、文、武之間。自云嗜酒、耽琴、淫詩，凡酒徒、琴侶、詩客，多與之游。每良辰美景，或花朝月夕，好事者相過，必爲之先拂酒罍，次開詩篋，酒既酣，乃自援琴操宮聲，弄《秋思》一遍。若興發，命家僮調法部，絲竹合奏《霓裳羽衣》一曲，放情自娱，酩酊而後已。有舁適野，舁中置一琴一枕，陶、謝詩數卷，竿左右懸雙酒壺，尋水望山，率情便去，抱琴引酌，興盡而返，其曠達如此。又嘗云：『博陵崔晦叔與琴，韻甚清，蜀客姜發授《秋思》，聲甚淡。』夫樂天之於琴，其工拙未可較。蓋高情所好，寓情於此，樂以忘憂，亦可尚也已！官至刑部尚書，其詩篇言琴者頗多，載之《琴臺志》。

崔晦叔

崔晦叔，名玄亮，博陵人，以治迹直諫，允稱當時。夙有道術，服氣煉形，暑不流汗，冬不挾纊。晚辭諫大夫，分司洛下，以山水琴酒自娱。及其將亡，以『玉磬』琴遺樂天，其所秘友也。觀其所履，豈非深得琴中之趣者哉！

衛次公

衛次公，字從周，河中河東人。貞元中，在翰林，憲宗時，節度淮南。次公本善琴，方未顯時，京兆尹季齊進使子與游，請授之法，次公拒絶，因終身不復鼓。其節尚終始完潔，蓋能自重也。

蕭祐

蕭祐，精於書畫，兼別音律。元和中，撰無射商九調子，指法尤異。《譜序》曰：『以引《小胡笳》四拍，世稱其妙。』李丞相夷簡詩云：『行年七十彈《秋思》，始覺《胡笳》兒女情。世上何人會此意，濛陽太守是同聲。』祐嘗爲彭州刺史。

董庭蘭

董庭蘭，隴西人也，在開元、天寶間，工於琴者也。天后時，鳳州參軍陳懷古善沈、祝二家聲調，以《胡笳》擅名。懷古傳於庭蘭，爲之譜，有贊善大夫李翱序焉。

然唐史謂其爲房琯所昵，數通賄謝，爲有司劾治，而房公由此罷去。杜子美亦嘗云：『庭蘭游琯門下有日，貧病之老，依倚爲非，琯之愛惜人情，一至於玷污。』而薛易簡稱庭蘭不事王侯，散髮林壑者六十載，貌古心遠，意閑體和，撫弦韻聲可以感鬼神矣。天寶中，給事中房琯，好古君子也，庭蘭聞義而來，不遠千里。余因此説，亦可以觀房琯之遇而知其仁矣。當房公爲給事中也，庭蘭已出其門，後爲相，豈能遽棄哉？又賄謝之事，吾疑譖琯者爲之，而庭蘭朽耄，豈能辨釋，遂被惡名耳。房公貶廣漢，庭蘭詣之，公無愠色。唐人有詩云：『七條弦上五音寒，此樂求知自古難。唯有開元房太尉，始終留得董庭蘭。』

有鄭宥者師庭蘭，亦善琴。宥調二琴至切，各置一榻，動宮則宮應，動角則角應，稍不切乃不應，尤善沈聲、祝聲。

薛易簡

薛易簡，以琴待詔翰林，蓋在天寶中也。嘗製《琴訣》七篇，辭雖近俚，義有可採，今掇其大概著焉，曰：

琴之爲樂，可以觀風教，可以攝心魂，可以辨喜怒，可以悦情思，可以静神慮，可以壯膽勇，可以絶塵俗，可以格鬼神，此琴之善者也。鼓琴之士，志静氣正，則聽者易分，心亂神濁，則聽者難辨矣。常人但見用指輕利，取聲温潤，音韻不絶，句度流美，但賞爲能。殊不知志士彈之，聲韻皆有所主也。夫正直勇毅者聽之，則壯氣益增；孝行節操者聽之，則中情感傷；貧乏孤苦者聽之，則流涕縱横；便佞浮

囂者聽之，則斂容莊謹。是以動人心、感神明者，無以加於琴。蓋其聲正而不亂，足以禁邪止淫也。今人多以雜音悦樂爲貴，而琴見輕矣。夫琴士不易得，而知音亦難也。

易簡嘗慕昔賢，悉善鼓琴。自九歲學之，至十二拊黄鍾雜調三十曲，工《三峽流泉》《南風》《游弦》三弄。十七歲彈《胡笳》兩本，《鳳游雲》《烏夜啼》《懷陵》《别鶴操》《仙鶴舞》《鳳歸林》《沉湘怨》《楚客吟》《秋風》《嵇康怨》《湘妃嘆》《間弦》《白雪》《秋思》《坐愁》《游春》《緑水》十八弄。

後益苦心周游四方，聞有解者，必往求之。凡所彈雜調三百，大弄四十，善者存志精之，否者旋亦廢去。今所彈者，皆研精歲久，並師傳勸譜，親授指法，猶未敢言妙。每以授人，聲數句度，用指法則，毫寸不差。如指下妙音，亦出人性分，不可傳也。

嘗覽操弄之名凡數百首，然自古琴者，衹工三兩弄，便有不朽之名，或自製雜弄，或傳習舊聲，固不以彈多爲妙也。今人皆不知志，惟務多爲，故云多則不精，精則不多也。

夫鼓琴之時，雖無人，須畏懼如對長者，則音韻雅正，可以感動幽冥。攬琴在膝，身須卓然，乃定神絶慮，情意專注，指不虛發，弦不誤鳴。凡打弦輕重，相似往來，不得不

調。用指兼以甲肉，甲多則聲乾，肉多則聲濁，甲肉相半，清利美暢矣。左右手於弦不可太高，亦不可低弦，不疾不徐，手臂調暢，暗用其力，戒於露見。

夫琴之甚病有七，彈琴之時，目睹於他，瞻顧左右，一也；搖身動首，二也；變色慚怍，開口怒目，三也；眼色疾遽，喘息粗悍，進退無度，形神支離，四也；不解用指，音韻雜亂，五也；調弦不切，聽無真聲，六也；調弄節奏，或慢或急，任己去古，七也。此皆所甚病，病去則可以爲能矣。

觀易簡之意，亦可謂善其事者矣。

陳康

陳康，字安道，篤好雅琴，名聞上國，所製調弄，綴成編集。嘗自叙云：『余學琴，雖因師啓聲，後乃自悟，遍尋正聲九弄，《廣陵散》、二《胡笳》，可謂古風不泯之聲也。其餘操曲，亦曠絶難繼，自元和、長慶以來，前輩得名之士多不明於調韻，或手達者傷於流俗，聲達者患於直置，皆止師傳，不從心得。予因清風秋夜，雪月松軒，佇思有年，方諧雅素，故得弦無按指之聲，韻有貫冰之實。乃創調共百章，每調各有短章引韻，類詩之小序。』

東嶽道士梅復元授康琴法。

孫希裕

孫希裕，字偉卿。父杲，爲道士，善琴，常求鄭瀚序《陰符經》，請柳公權書之，半歲方畢。父杲餉公權騎從，所費殆五百千，石刻今存。希裕博精雜弄，以授陳拙，唯不傳《廣陵散》。拙以譜求誨，希裕焚之，曰：『《廣陵散》乃嵇叔夜憤嘆之詞，吾不欲傳者，爲傷國體也。』耽琴嗜酒，頹然自適，琴家重之。

陳拙

陳拙，字大巧，長安人也。授《南風》《遊春》《文王操》《鳳歸林》於孫希裕，傳《秋思》於張巒，學《止息》於梅復元。嘗更古譜，録《南風》《文王操》二弄，曰：『琴操雖多，制從高士聖君所作，二弄獨存，切慮其頓墜也。』又作《正聲新址》，未見完本。嘗云：『彈操弄音，前緩後急者，妙曲之分布也。或中急而後緩者，節奏之停歇也。疾打之聲，齊於破竹，緩挑之韻，穆若生風。亦有聲正厲而遽止，響已絶而意存者。前輩妙手，每擬一弄，師有明約，竭豆一升，標爲遍數，其勤如此，而後有得也。』拙爲京兆户曹。

卷五

竇儼

竇儼，字望之，薊州人。博學，尤邃鍾律，少學觱篥於馮翊黨氏，學琴於圃田茅生，學笛於太原周仲將，學琵琶於始平馮吉。以四器覈其聲，又以易象曆數參之，坦然明白矣。嘗上疏周世宗，請命博通之士，上自五帝，迄於周朝，凡樂章沿革，總次編録。凡三弦之通，七弦之琴，十三弦之箏，二十弦之離，二十五弦之琴，三漏之籥，六漏之喬，七漏之笛，八漏之篪，十三管之和，十七管之笙，十九管之巢，二十三管之簫，皆列譜記，對而合之，類從聲等，雖異必通，永爲定式，名曰《大周正樂》。俾樂寺掌之，依文教習。世宗偉之，即令儼精選文士，撰次正樂，命儼總領之。又判太常寺，乃與王樸校鐘磬管籥之數，辨清濁上下之節，復律吕旋相之法，迄今用之。

樸、儼能察聲音，前知休咎。儼嘗棄官歸，鄭且有私喪，而聞弟偘彈琴爲《秋蕊曲》，儼曰：『是音也，羽凌於商，子奪其母，不祥之兆也。』賦詩以紀其事，已而果然。論者或謂王樸、竇儼當周鼎方淪，聖運將興之際，曾無一言，殊匪先覺，何也？曰彼兩人者，或知之而不敢言，或言之而人莫紀，是未可以咎也！且樸、儼雖爲周定樂，而宋實用之，其所補豈小哉！

崔遵度

崔諭德，字遵度，進士擢第，踐歷古史，恬於勢利，口不言是非。仁宗以壽春開府，有詔宰相擇耆德學術之士，被命爲王友，東宮建，以爲諭德。卒官諭德。善鼓琴，得其深趣。嘗謂頤天地之和，莫先於樂，究樂之趣，莫近於琴，乃作《琴箋》以見其意焉。

世之傳琴者，必曰長三尺六寸象朞之日，十三徽象朞之月，居中者象閏，前世未有甚辨者。至唐協律郎劉貺以樂器配諸節候，而謂琴爲夏至之音。至於泛聲，卒無述者，愚嘗病之。因張弓附案，泛其弦而十三徽聲具焉，況琴瑟之弦乎！是知所謂象者，蓋天地自然之節耳，又豈止夏至之音而已。

夫《易》有太極，是生兩儀。兩儀者，太極之節也。四

時者，兩儀之節也。律呂者，四時之節也。晝夜者，律呂之節也。刻漏者，晝夜之節也。節節相授，自細至大，而歲成焉。既不可使之節，亦不可使之不節，氣之自然者也。氣既節矣，聲同則應，既不可使之應，亦不可使之不應，數之自然者也。既節且應，則天地之文成矣。文之義也，或任形而著，或假物而彰，日星文乎上，山川理乎下，動物、植物，華者、節者，五色具矣，斯任形者也。至於人常有五性而不著，以事觀之而後著。目常有五色而不見，以水發之然後見。氣常有五音而不聞，以弦考之然後聞，斯假物也。

是故聖人不能作《易》，而能知自然之數，不能作琴，而能知自然之節，何則？數本於一而成於三，因而重之。故《易》六畫而成卦，及其應也，一必於四，二必於五，三必於六焉。氣氣相召，其應也必矣。卦既畫矣，故作琴焉。始以一弦泛桐，當其節則清然而號，不當其節則泯然無聲，豈人力也哉！且徽十有三，而居中者爲一，自中而左泛之有三焉，又右之有三焉，其聲殺而已，弦盡則聲滅。及其應也，一必於四，二必於五，三必於六焉。節節相召，其應也必矣。

《易》之書也，偶三爲六，三才之配具焉，萬物由之而出。雖曰六畫，及其數也，止三而已矣。琴之畫也，偶於六爲十二，而根於一。一也，道之所生也。在數爲一，在律爲黄鍾，在音爲宫，在木爲根，在四體爲心，衆徽由之而生。雖曰十三，及其節也，止三而已矣。卦之德方，經也；著之

德圓，緯也，故萬物不能逃其象。徽三其節，經也；弦五其音，緯也，故衆音不能勝其文。先儒謂八音以絲爲君，絲以琴爲君。愚謂琴以中徽爲君，盡矣。夫徽十三者，蓋昭昭可聞者也。苟盡弦而考之，乃總有二十三徽焉，是一氣也。文弦具之，尺弦亦具之，豈有長短大小之限哉！

是則萬物本於天地，天地本於太極，太極之外以至於無物。聖人本於道，道本於自然，自然之外以至於無爲。樂本於琴，琴本於中徽，中徽之外以至於無聲。是知作《易》者，考天地之象也；作琴者，考天地之聲也。往者藏幽而未談，來者專聲而忘理。《琴箋》之作也，庶乎近之。苟其闕也，請俟君子。

名流皆服之。

先祖尚書公

先祖尚書公，諱憶，字延年，越州剡縣人也。少有雅趣，邃於琴道，卜居四明。有姊以淑行婉質，尤工琴書，後賜號廣慧大夫者也，吴越王既納籍有司。至道元年，天子命使者裴愈至二浙訪圖書，聞廣慧既藝且賢，以名聞，且命之至京師。廣慧既入宫掖，尚書被召，對鼓琴，太宗嘉悦，使待詔翰林。其後歷仕繁劇，多以才選，雖王事靡盬，而絲桐不離於前，篤好而精學，雖老無倦斁。明道二年，以内殿崇班、閤門祗候知雎州，卒。以家君光禄貴，贈刑部尚書，年六十。

尚書嘗寶一古琴，聲甚清，池中書曰『上元濱』，題曰『玉

磬』。上元乃唐肅宗所紀年也，昔崔晦叔嘗以玉磬琴遺白樂天，此殆是邪！尚書既喪，此琴假於老舅惠玉，玉嘗授琴於尚書，音静而不流，東南罕及者。舅復以此琴歸余，遂名曰『玉磬』，既銘且詩之云。

唐異

唐處士異，字子正，才藝甚高，肥遁不出。李西臺建中時謂善書，而子正之筆實左右之，江東林逋亦稱墨妙，一見而嘆曰：『唐公之筆，老而彌壯。』崔諭德時謂善琴，而子正之音嘗唱和焉。高平范公從而師之，嘗貽之書曰：『崔公既没，琴不在兹乎！』二妙之外，尤嗜風雅，探幽索奇，不知老之將至。『意淳語真，不爲憤惋』，文正公嘗稱其如此。

范文正公

范文正公仲淹，字希文，少有經國致君之志，學必師古。聞唐異善琴，與書曰：

蓋聞聖人之作琴也，鼓天下之和而和天下，其爲道大矣乎！秦暴之後，禮樂失叙。吁嗟乎！琴散已久，後之傳者，妙指美聲，巧以相尚，喪其大，矜其細，人以藝觀焉。皇宋文明之運，宜建大雅。東宫故諭德崔公，其人也得琴之道，志於斯，樂於斯，垂五十年，清凈平和，性與琴會，著《琴箋》，而自然之義在矣！嘗游於門下，一日請曰：『琴何爲是？』公曰：『清厲而静，和潤而遠。』某拜而退，思而釋之曰：『清厲而弗静，其失也躁。和潤而弗遠，其失也佞。不躁不佞，其中和之道歟！』一日又請曰：『今之能琴，誰可與先生和者？』曰：『唐處士可矣。』某拜而退，美而歌曰：『有人焉，有人焉，且將師其一二。』屬遠仕乎千里，未獲所存，今復還於上京。崔公既没，琴不在於君子乎！君將懷其意，授之一二，使得操堯舜之音，游羲皇之域，其賜也，豈不大哉！又先生之琴傳，傳而無窮，上聖之風存，存乎盛時，其旨也，豈不遠哉！誠不敢助《南薰》之詩，以爲天下富壽，庶幾宣三樂之情，以美生平而可乎？

公之好琴如此。蓋君子之於琴也，發於中以形於聲，聽其聲以復其性，如斯可矣。非必如工人，務多趣巧以悦於人也。故文正公所彈雖少，而其得趣蓋深矣。道直才周，爲本朝全德大老云。族孫世京，頗好琴，其操行亦完潔，任至祕書丞。

歐陽永叔

歐陽太師脩，字永叔，學博而醇，文正而奇，一代之師。嘗有言曰：

予嘗有幽憂之疾，退而閑居，不能治。既而學琴於友人孫道滋，受宮聲數引，久則樂之，愉然不知疾之在體也。夫疾生於憂者也，藥之毒者能攻其疾之聚，不若聲之至者能和其心之所不平。心平而和者，則疾之忘也，宜矣。

噫！琴固一工之技爾。及其至也，大者爲宫，細者爲羽，操縵驟作，忽而變之，急者凄然以促，緩者和然以舒。如崩崖裂石，高山奔泉，而風雨夜至也。如怨夫寡婦之嘆息也，雌雄雝雝之相和也。其憂深思遠，則舜與文王，孔子

之遺音也。其悲愁感憤，則伯牙、屈原，忠臣之所嘆也。喜怒哀樂，動人心深，取其和者，平其抑鬱，寫其憂思，盡其意緒，使之不倦，其感人之際亦有至焉者，是亦治人之術歟！

然予聞經之爲書，皆善治人之心，宜其尤精者，《易》與《樂》也。今夫琴者，纔樂之一器也。及其至也，尚能與人平治其心如此，况純學於《易》邪，况能遍識《六經》之深者邪！人固不可不樂也。然《六經》之道，肆大而深博，非盡心强力不可至，惟琴則疾者之易爲焉。

其言如此，知永叔得琴之理深矣。嘗參大政，未七十即求里居，今則亡矣。嗟夫！

趙閲道

趙抃，字閲道，以清節正論顯於仁宗朝，迄熙寧初，嘗參豫國政，今以太子少保致仕。公好琴，其將命於四方，雖家人不以從行，而琴與龜鶴未嘗去也。王事之隙，時彈古曲，以和平其心志，故終始完潔無疵，爲世師表云。

卷六

瑩律

昔者，伏羲氏既畫八卦，又製雅琴。卦所以推天地之象，琴所以考天地之聲也。天地之聲出於氣，氣應於月，故有十二氣。十二氣分於四時，非土不生，土王於四季之中，合爲十三，故琴徽十有三焉。其中徽者，土也，《月令》『中央土，其音宮，律中黄鍾之宫』者是也。故中徽之聲，洪厚包容，爲衆徽之君。由中徽左右各六徽，徽有疏密者，取其聲之所發，自然之節也，合於天地之數，故律之相生有上下，而爲管有長短，蓋取諸此也。凡天地、五行、十二氣、陽律陰吕、清濁高下，皆在乎十三徽之間。盡十三徽之聲，惟三尺六寸六分之材可備，故度而製之，亦以象朞之日也。

當宓羲之時，未有律吕之器，而聖人已逆其數矣；未有曆象之書，而聖人已明其時矣。黄帝氏作，命伶倫取嶰谷之竹，製十二筩，以爲黄鍾、太簇、姑洗、蕤賓、夷則、亡射之律，大吕、夾鍾、仲吕、林鍾、南吕、應鍾之吕。蓋協於琴而備數和聲，審度、嘉量、權衡之術加備矣。琴之徽有十三，而律管虚其一者，謂土之數居中，其氣無不通，其聲無不在，不可以一器名也。律吕既成而八音備，後世聖人復以六律，不可以易審，於是考律以立均，因均以作樂，故曰律，所以出均立度也。

夫律本於琴，樂本於律，故知琴者爲能知律，知律者爲能知樂也。古之君子缺而不談，或以十二徽配十二律，以中徽配閏，而不言製作之義。本諸理，作《瑩律》。

明度

《琴操》言琴之度，長三尺三寸六分，以象朞之日，此古制也。舊説以謂自伏羲而後，琴制十有二，而尺度有修短，短至於三尺三寸，修至於三尺九寸有奇。此無他，乃律學廢而度數乖也。《周禮》：『凡爲樂器，以十有二律爲之度數，以十有二聲爲之齊量。』言樂而不稽諸度數，言度數而不合諸律，何以爲樂？孟子曰：『師曠之聰，不以六律，不能正五音。』此之謂也。

自周道既亡，禮樂大壞，更秦燔毁，寂無遺緒。歷代以來，有制爲準弦以定律者，有參校古器以立度者，有累積秬黍以合尺者。制爲準弦以定律，則患乎奥遠而難繼。參校古器以立度，則患乎尺寸之難壹。累積秬黍以合尺，則患乎大小之不齊。議論紛紛，莫適其正。朝廷講修太平，大有爲於天下，同律度而興禮樂，其在今乎？夫然，則作琴之制可著明矣。綜其數，作《明度》。

擬象

聖人之製器也必有象，觀其象則意存乎中矣。琴之爲器，隆其上以象天也，方其下以象地也。廣其首，俯其肩，象元首股肱之相得也。三才之義也，高其前以爲嶽，命曰臨嶽，象名山峻極，可以興雲雨也。虚其腹以爲池，一曰池，一曰濱，象江海幽遠，可以蟠靈物也。所以張弦者曰軫，象車軫以載，致遠不敗也。所以枕弦者曰鳳足，象鳳凰來儀，鳴聲應律也。翼其旁者曰鳳翅，傅其末者曰龍尾，取其瑞也。其所飾之材，以棗，以黄楊，以玉，以金，或以竹。棗赤心，黄楊正色，玉温金堅，竹寒而青，皆君子所以比德者也。若崇庳廣狹之寸，昔人已銖銖而偶之矣，余不復談也。通其意，作《擬象》。

論音

音之生，本於人情而已矣。夫遇世之治則安以樂，逢政之苛則怨以怒，悼時之危則哀以思，此君子之常情也。出於情，發於中，形於聲，若影響之速也。然君子之情雖安以樂，而不忘於戒勸，雖怨以怒，而不忘於忠厚，雖哀以思，而不忘於扶持，故其爲聲亦屢變而數遷，不可以爲常也。善治樂者，猶治詩也，亦以意逆志則得之矣。

夫八音之中，惟絲聲於人情易見，而絲之器莫賢於琴。是故聽其聲之和，則欣悦喜躍，聽其聲之悲，則蹙頞愁涕，此常人皆然，不待乎知音者也。若夫知音者，則可以默識群心，而預知來物，如師曠知楚師之敗、鍾期辨伯牙之志是也。古之君子不徹琴瑟者，非主於爲己，而亦可以爲人也。蓋雅琴之音，以導養神氣，調和情志，攄發幽憤，感動善心，而人之聽之者，亦皆然也。豈如他樂以蹈心堙耳、佐觀悦聽以爲尚哉！

古之音指，蓋淳静簡略，經戰國暴秦，工師逃散，其失多矣。然其故曲遺名，傳者尚多，《琴操》所紀皆漢時有之也。故劉琨知《清角》，嵇叔夜所謂「初涉《渌水》，中奏《清徵》，雅昶唐堯，終咏微子」。又言其曲引有《東武》《泰山》《飛龍》《鹿鳴》《鵾雞》《游弦》，皆叔夜所常爲者，今人亦罕知之矣。夫蔡氏五曲，所謂《游春》《渌水》《坐愁》《秋思》《幽居》者也。今人以爲

奇聲異弄難工之操，而叔夜時特謂之淫俗之曲，且曰：『承間簉乏，亦有可觀。』蓋言其非古也。漢儒所製，尚且非古，況於魏晋之曲乎。

宋世有琴工，嵇元榮、羊蓋之儔，率造新聲，去古益遠。柳吴興嘗以嘆恨，乃著《清調論》并上樂議，今逸矣。惜哉！唐世琴工復各以聲名家，曰馬氏、沈氏、祝氏，又有裴、宋、翟、柳、胡、馮諸家聲，師既異門，學亦隨判，至今曲同而聲異者多矣。雖然，古樂之行於人者，獨琴未廢，有志於樂者，捨琴何觀？安得夔、曠之徒與之論至音哉！原於古，作《論音》。

審調

古者，推律以立均，依均以作樂，故十二律旋相爲均，均有七調，合八十四調，播於八音，著於歌頌，而作樂之能事畢矣。夫琴之爲器也，律呂備焉，八十四調存乎其中矣。

三代之時，律正樂行，士君子舉知樂，度之而立曲，拊之而成文，則八十四調之音皆可以知而鼓之，惟其意之所之耳。自漢而下，律樂兩隳，舊音略存，而傳習者猶患不及，況周知均調哉！唐人有言，琴通三均，蓋其所知者，止三代而已哉。其九均之音，

豈有不通，遭亂堙没，世莫得聞也。夫周之曲，至漢而存者鮮矣；漢之曲，至唐而存者希矣。唐世所傳，今人亦有不能者，去古浸遠，而遺弄浸亡邪！

夫近世樂道之士，或好於琴，聊以娱養情性而已。至於學釋道者，雖多從事於此，徒能紀其拂歷之數，作爲繁聲淫韻以悦人聽而已。其知樂者，蓋有之矣，我未之見也！嗚呼！安得知樂之君子，與之審調以制音哉！述於均，作《審調》。

聲歌

古之弦歌，有鼓弦以合歌者，有作歌以配弦者，其歸一揆也。蓋古人歌則必弦之，弦則必歌之，情發於中，聲發於指，表裏均也。《周禮》太師教六詩，『以六德爲之本，以六律爲之音』。夫以六詩協六律，此鼓弦以合歌也。古之所傳十操九引之類，皆出於感憤之志，形之於言，言之不足，故永歌之，永歌之不足，於是援琴而鼓，此作歌以配弦也。

《舜典》曰：『詩言志，歌永言，聲依永，律和聲。』此典樂教人之序也。以聲依永，則節奏曲折之不失也。以律和聲，則清濁高下之必正也。惟達樂者爲能弦歌耳。孔子之删《詩》也，皆弦歌之，取其合於《韶》《夏》，凡三百篇，皆可以爲琴曲也。至漢

世遺音尚存者，惟《鹿鳴》《騶虞》《鵲巢》《伐檀》《白駒》而已，其餘則亡。獨文中子嘗閔時之亂，泫然鼓《蕩》之什，世所不傳，而能鼓之，可謂知樂也已。近世琴家所謂操弄者，皆無歌辭，而繁聲以爲美。其細調瑣曲雖有辭，多近鄙俚，適足以助歡欣耳！稽諸事，作《聲歌》。

廣制

古者，祀天之樂，以圜鍾爲宮，用雲和之琴瑟。禮祇之樂，以函鍾爲宮，用空桑之琴瑟。假廟之樂，以黄鍾爲宮，用龍門之琴瑟。雲和、空桑、龍門，皆山名也。豈其材有山川之異，而聲有清濁之殊，於還相之宮各有宜邪！故太師精別其聲，以合於宮，後世豈復知邪！伏生《書傳》有『大琴練弦』，練弦者，五色也！《爾雅》『大琴謂之離』，説者曰：『二十弦也。』此乃琴之異制也。夫琴之爲器，高至於玉霄之上，遠至於金仙之國，皆以此爲樂，故載於釋老之書，此不復述也。略其事，作《廣制》。

盡美

琴有四美，一曰良質，二曰善斲，三曰妙指，四曰正心。四美既備，則爲天下之善琴，而可以感格幽冥，充被萬物，況於人乎，況於己乎？昔司馬子微謂『伏羲以諧八音，皆相假合，思一器而備律呂者，遍斲衆木，得之於梧桐』。蓋聖人之於萬物也，亦各辨其材而爲之器也。既知其材矣，又常求其良者以待於用，養其小者以致於大。故禹作九州之貢，有『嶧陽孤桐』，而《詩》美周室之盛，曰：『梧桐生矣，于彼朝陽。』又衛文公之作宮室也，亦云：『樹之榛栗，椅桐梓漆，爰伐琴瑟。』是所求其良者以待於用，養其小者以致於大也。古之聖賢，留神於琴也如此。

後之賦琴，言其材者，必取於高山峻谷、迴谿絶澗、盤紆隱

深、巉巖嶇嶮之地，其氣之鍾者，至高至清矣。雷霆之所摧擊，霰雪之所飄壓，羈鸞獨鵠之所棲息，鸝黃鶬鶊之所翔鳴，其聲之感者，至悲至苦矣。泉石之所磅礴，琅玕之所叢集，祥雲瑞靄之所覆被，零露惠風之所長育，其物之助者，至深至厚矣。根盤拏以輪囷，枝紛鬱以葳蕤，歷千載猶不耀，挺百尺而見枝，其材之成者，至良至大矣。一日夔、襄、鍾、牙之儔睨而視之，嘉其可以爲琴也，於是命般、倕之徒斤斧之，繩墨之。鏤中、裹間，平面、去病，按律吕以定徽，合鍾石以立度，法象完密，髹采華焕，於是飾以金玉瓌奇之物，張以弦軫犳弭之用，而琴成矣。

昔伏羲之龍吟，黄帝之清角，齊桓公之號鐘，楚莊王之繞梁，相如之緑綺，蔡邕之焦尾，傳於天下久矣。唐相李勉以響泉、韻磬聞，白樂天以玉磬聞。而世稱有雷氏者，有張越者，尤精斲琴，歷代寶傳，以至於今，非力足而篤好者，不能致也。近世斲琴者間有之，然孰能傑然可以紹前人之作者歟？昔聖人之作琴也，天地萬物之聲，皆在乎其中矣。

有天地萬物之聲，非妙指無以發，故爲之参彈復徽，攫援摽拂，盡其和以至其變，激之而愈清，味之而無厭，非天下之敏手，孰能盡雅琴之所藴乎？當其援琴而鼓之也，其視也必專，其聽也必切，其容也必恭，其思也必和。調之不亂，醳之甚愉，不使放聲邪氣得奸其間，發於心，應於手，而後可與言妙也。是故君子之於琴也，非徒取其聲音而已。達則於以觀政焉，窮則於以守命焉。堯之《神人》，舜之《南風》，武王之《克商》，周公之《越

裳》，所以觀政也；許由之《箕山》，伯夷之《采薇》，夫子之《猗蘭》，王通之《汾亭》，所以守命也。又若子賤以治一邑，鄒忌以相一國，彼皆至命也，又有所自得也。

夫焦與梧桐，皆至清之物也，而可以見人心者，至誠之所動也。是故孔子辨文王之操，子期識伯牙之心者，昭見精微，如親授於言也。故曰：『惟樂不可以爲僞。』又曰：『至誠動金石，不誠未有能動者也。』吾於樂，益知誠之不可不明也。夫金石絲桐，無情之物，猶可以誠動，況穹穹而天，冥冥而神，誠之所格，猶影響也。君子慎獨，不愧屋漏，可不戒哉！是故黄帝作而鬼神會，后夔成而鳳凰至，子野奏而雲鶴翔，瓠巴作而流魚聽，師文彈而寒暑變，可謂誠至也。是故良質而遇善斲，善斲既成而得妙指，妙指既調而資於正心，然後爲天下之善琴也。總其能，作《盡美》。

志言

琴之爲樂，行於堯、舜、三代之時。至戰國時，雅音廢而淫樂興，尚鏗鏘墜靡之聲，而厭和樂深静之意。魏文侯，當時之賢君，猶云：『吾端冕而聽古樂。』則惟恐卧，況其下者乎？於是秦箏、羌笛、箜篌、琵琶之類，疊興而並進，而琴亡矣。

漢興，猶未暇復古，由河間獻王留神雅樂。孝宣時，制氏、龍氏、趙氏、師氏之家，始於琴書謂之雅琴者，以別於俗樂也。又桓譚、孔衍皆集《琴操》，及馬融、蔡邕以大儒名當時，特好斯藝，時人翕然宗尚。阮嗣宗、嵇叔夜紹而倡之，自魏及晉，名儒高士，學者益多，而史册之間，豈遑遍述？

迨乎隋唐，搢紳多以是道爲務，而清言雅技罕嘗攻之。間有賢智，有所論著，如吕渭、李良輔、陳拙、趙惟謙、李約、齊嵩、王大力、陳康士之徒皆云有書，其名載於《藝文志》，然余所未睹，亦不聞其果精於琴與否？豈辭多近俚，不足以行遠邪？抑不幸而不見邪？惜哉！觀其名，作《志言》。

敘史

夫琴者，閑邪復性、樂道忘憂之器也。三代之賢，自天子至於士，莫不好之。自漢唐之後，禮缺樂壞，搢紳之徒罕或知音，然君子隱居求志、藏器待時者，亦多學焉。然其人或晚登於卿相者，功業溥博，而絲桐小藝，史氏或不暇書。終遁巖壑者，名迹幽晦，而弦歌遺事，而後人豈能遍録，其漏缺無傳者可勝算哉？余深惜之，是以於史傳記集，苟有聞見，皆著於篇。病於盡得古書，可以廣覽而博求，此亦遺恨耳！嘆其遺，作《敘史》。

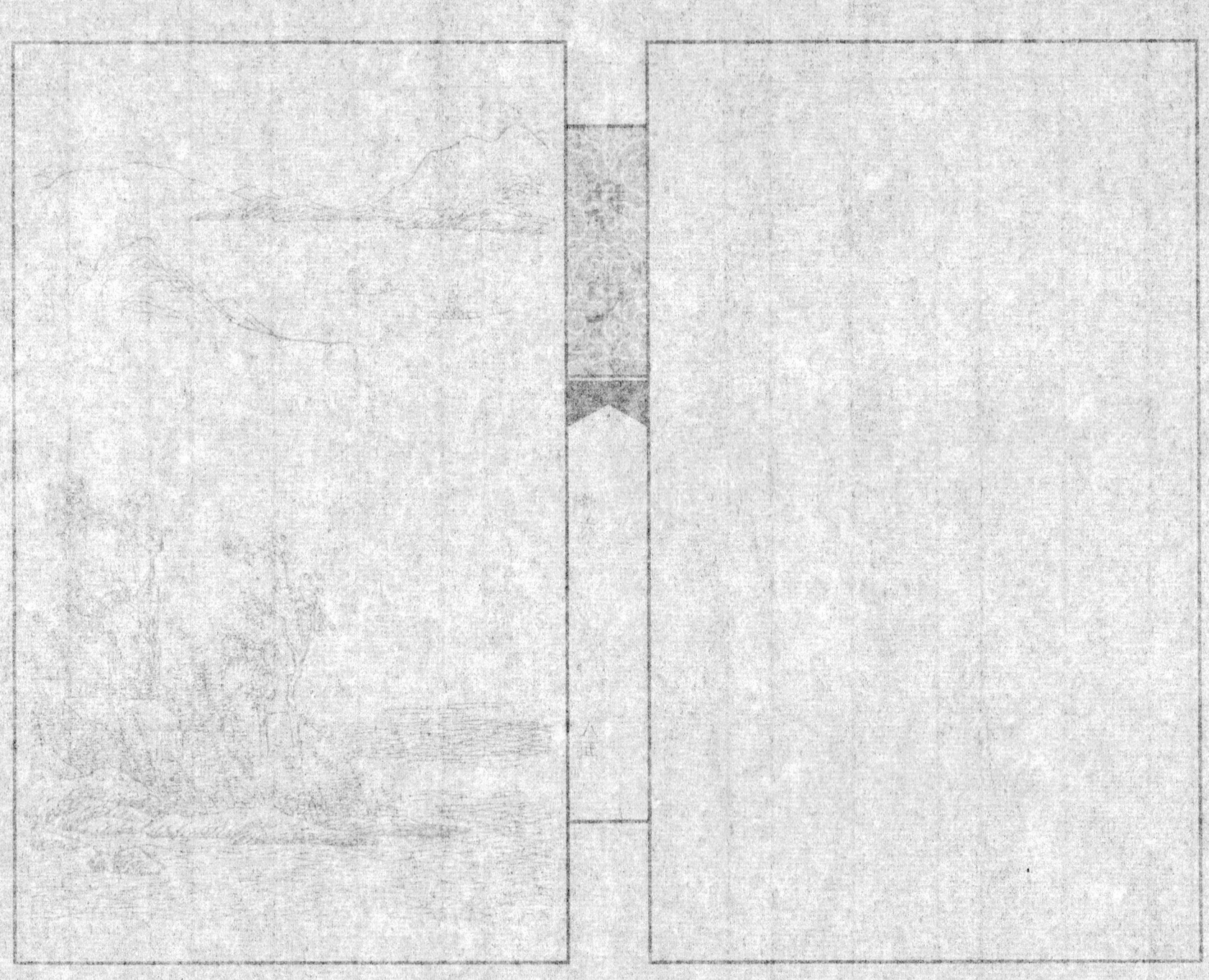

文華叢書

《文華叢書》是廣陵書社歷時多年精心打造的一套綫裝小型開本國學經典。選目均爲中國傳統文化之經典著作，如《唐詩三百首》《宋詞三百首》《古文觀止》《四書章句》《六祖壇經》《山海經》《天工開物》《歷代家訓》《納蘭詞》《紅樓夢詩詞聯賦》等，均爲家喻户曉、百讀不厭的名作。裝幀採用中國傳統的宣紙、綫裝形式，古色古香，樸素典雅，富有民族特色和文化品位。精選底本，精心編校，字體秀麗，版式疏朗，價格適中。經典名著與古典裝幀珠聯璧合，相得益彰，赢得了越來越多讀者的喜愛。現附列書目，以便讀者諸君選購。

人間詞話（套色）（二册）
了凡四訓　勸忍百箴（二册）
三字經・百家姓・千字文・弟子規（外二種）（二册）
三曹詩選（二册）
小窗幽紀（二册）
山谷詞（套色、插圖）（二册）
山海經（插圖本）（三册）
千家詩（二册）
王安石詩文選（二册）
王維詩集（二册）
天工開物（插圖本）（四册）
元曲三百首（二册）
元曲三百首（插圖本）（二册）
太極圖説・通書（二册）
水雲樓詞（套色、插圖）（二册）
片玉詞（套色、注評、插圖）（二册）
六祖壇經（二册）
文心雕龍（二册）
文房四譜（二册）
孔子家語（二册）
世説新語（二册）
古文觀止（四册）
古詩源（三册）
史記菁華録（三册）
史略・子略（三册）
四書章句（大學、中庸、論語、孟子）（二册）
白雨齋詞話（三册）
白居易詩選（二册）
老子・莊子（三册）
西厢記（插圖本）（二册）
列子（二册）
伊洛淵源録（二册）
孝經・禮記（三册）
花間集（套色、插圖本）（二册）
杜牧詩選（二册）
李白詩選（簡注）（二册）
李商隱詩選（二册）
李清照集附朱淑真詞（二册）

（加*爲待出書目）

文華叢書書目

[illegible]

古詩源（二冊）
[illegible]（二冊）
孟子（附：孔子聖迹圖）（二冊）
周易·尚書（二冊）
金[illegible]文（二冊）
金剛經·百喻經（二冊）
[illegible]詞（四冊）
[illegible]詞（[illegible]）（二冊）
東坡志林（二冊）
林泉高致·[illegible]（二冊）
[illegible]（二冊）
[illegible]（二冊）
[illegible]（二冊）
宋詞三百首（套色、插圖本）（二冊）
宋詞三百首（二冊）
宋元戲曲史（二冊）
[illegible]（二冊）
近思錄（二冊）
近三百年名家詞選（二冊）

陶淵明集（一冊）
[illegible]（一冊）
[illegible]（十六開）（二冊）
[illegible]（二冊）
[illegible]（二冊）
唐詩三百首（插圖本）（二冊）
唐詩三百首（二冊）
[illegible]（二冊）
格言聯璧（二冊）
[illegible]·小山詞（二冊）
[illegible]（二冊）
[illegible]（二冊）
[illegible]（二冊）
[illegible]（二冊）
[illegible]（二冊）
[illegible]（二冊）
[illegible]（二冊）
荀子（二冊）
[illegible]（二冊）

清賞叢書

《清賞叢書》是廣陵書社最新打造的一套綫裝小開本圖書。本叢書選目均爲古人所稱清玩之物、清雅之言，主要是有關古人精緻生活、書畫金石鑒賞等著作，如高濂《遵生八箋》、張岱《西湖夢尋》、曹昭《格古要論》等，讓喜好傳統文化的讀者，享受古典之美，欣賞風雅之樂。

本叢書裝幀仍採用中國傳統的宣紙、綫裝形式，與本社另一套經典名著叢書《文華叢書》相得益彰，古色古香，樸素典雅，富有民族特色和文化品位。本社精選底本，精心編校，版式疏朗，字體秀麗，價格適中。現附列書目，以便讀者選購。

★爲保證購買順利，購買前可與本社發行部聯繫
電話：0514-85228088　郵箱：yzglss@163.com

新浪微博
廣陵書社

微信公衆號
glsscbs